Abracadabra!

Soupçons
au parc d'attractions

Abracadabra!

Soupçons au parc d'attractions

Peter Lerangis
Illustrations de Jim Talbot

Texte français d'Isabelle Allard

Éditions SCHOLASTIC

En souvenir de Nunley's Carousel, Baldwin, N.Y.

Catalogage avant publication de Bibliothèque
et Archives Canada

Lerangis, Peter
Soupçons au parc d'attractions / Peter Lerangis;
illustrations de Jim Talbot; texte français d'Isabelle Allard.

(Abracadabra!)
Traduction de : Whoa! Amusement Park Gone Wild.
Pour enfants de 7 à 10 ans.
ISBN 0-439-96194-7

I. Talbot, Jim II. Allard, Isabelle III. Titre. IV. Collection :
Lerangis, Peter. Abracadabra!

PZ23.L467So 2004   j813'.54   C2004-903370-0

Édition publiée par les Éditions Scholastic,
175 Hillmount Road, Markham (Ontario) L6C 1Z7.

5 4 3 2 1   Imprimé au Canada   04 05 06 07

Sommaire

1. Avisse ahuxe…   1
2. Alakazam   14
3. La grande corvée   24
4. Adieu, manèges…   38
5. Qui va là?   47
6. À un cheveu près!   55
7. Un petit oiseau   62
8. Que les meilleurs gagnent!   72
9. Festin de frites   84

1

Avisse ahuxe...

— Je veux un gros hamburger Crevier, des frites Carrousel et un lait frappé! s'écrie Jessica Frigon en se précipitant hors de l'auto familiale.

Karl Normand s'élance à sa suite, manquant de perdre ses lunettes, qui sont toujours un peu de travers sur son visage.

— Je veux battre le record du billard électronique Cyberattaque! annonce-t-il.

Il faut que j'accumule cent dix mille deux cent treize points!

— Je veux donner un coup de pied à Tibère! lance Noé, le petit frère de Jessica.

Noé a six ans et demi. Il aime donner des coups de pied. Parfois, il en donne à Jessica, ce qui lui attire des ennuis. Mais quand il va au Parc Crevier, il peut donner des coups de pied à Tibère, un cheval de bois du carrousel, sans se gêner. Tibère est gros et brillant, avec une oreille fendue et des côtés cabossés. Les enfants donnent des coups de pied aux chevaux de bois depuis 75 ans. En fait, depuis que le Parc Crevier est ouvert. C'est une tradition.

Le Parc Crevier est réputé dans toute la Nouvelle-Angleterre. Le carrousel est situé dans un bâtiment vitré, assez grand pour contenir des billards électroniques, des cabines photographiques, des jeux de soccer de table et de hockey sur coussin d'air, des stands de tir et une machine à frapper la monnaie. À côté du bâtiment se trouve le Casse-croûte Crevier. Les attractions extérieures comprennent des tours de bateau pour les petits, des autos tamponneuses, un minigolf, des montagnes russes, ainsi que les manèges du Tourbillon et de la Fusée. La grande roue est souvent brisée, et certaines attractions sont fermées depuis des mois. Mais cela n'empêche pas les enfants d'adorer le Parc Crevier.

Jessica vous dirait que le Parc Crevier est la deuxième bonne raison de vivre à Rébus, au Massachusetts.

La première bonne raison, c'est le Club Abracadabra. « Abracadabra » signifie : Amateurs de Baguettes magiques de Rébus Associés, un Club Amical de Détectives Abracadabrants, Brillants et Réellement Amusants. (C'est Karl qui a trouvé ce nom. Il est l'élève le plus intelligent de la quatrième année.) Le Club Abracadabra est le seul club de magiciens *et* de détectives de l'école élémentaire Rébus. Jessica en est le chef, ou le cerveau.

Les autres membres sont Karl, Selena Cruz et Max Blier. Tous les quatre sont venus passer la journée au Parc Crevier. Ils ont des laissez-passer gratuits pour toutes les attractions parce qu'ils ont donné un spectacle de magie à l'occasion du 75e anniversaire du parc.

Jessica remonte l'allée qui mène au casse-croûte, où attendent Selena et Max. Une pancarte est collée sur la fenêtre :

AVIS AUX CLIENTS
RESTAURANT FERMÉ POUR RÉPARATIONS

— Avisse ahuxe… déchiffre péniblement Noé.

— Ça dit que le restaurant est fermé, traduit M. Frigon, le père de Noé et Jessica.

— Reculez! crie Max en faisant tournoyer

sa grande cape noire. Je vais prononcer une formule magique pour ouvrir la ferrure!

— *Serrure*, le corrige Jessica.

Max porte une cape et un chapeau haut-de-forme tous les jours, même pour aller à l'école. Il mélange les mots quand il est nerveux. Il est fermement convaincu d'être un vrai magicien. Ses formules magiques ne fonctionnent jamais, mais cela ne le décourage pas.

— ABRACADABRA… ZOUP… HOUPLA! scande Max. Heu, attendez… C'était peut-être HOPLA?

— Il faut trouver pourquoi le casse-croûte est fermé, déclare Karl en sortant un carnet de notes de son sac à dos.

Karl adore les mystères presque autant que la magie.

— Avez-vous des indices? demande-t-il à ses amis.

— On n'a qu'à demander, dit Selena.

— Bonne idée, dit Karl en inscrivant cette suggestion dans son carnet.

Une voix s'élève près de l'entrée du carrousel :

— Hé! Pourquoi attendez-vous là? Vous ne savez pas lire?

C'est Charlotte Crevier, la petite-fille d'Ernest et Françoise Crevier, les propriétaires du parc d'attractions. Charlotte est en quatrième année à l'école élémentaire Rébus. Ses cheveux forment une cascade de boucles brunes, qui retombent sur ses yeux et couvrent ses épaules.

— Je *sais* lire! dit Noé avec fierté en montrant l'enseigne du doigt. Avisse ahuxe...

— Charlotte, pourquoi le casse-croûte est-il fermé? demande Mme Frigon.

— Pour la même raison que la grande roue est fermée, répond Charlotte en haussant les épaules. Et que le jeu de soccer de table et la machine à frapper la monnaie sont brisés.

Tout est trop vieux. Ça coûte trop cher de les réparer, et nous ne faisons pas assez d'argent.

— Mais le Parc Crevier est célèbre! dit Selena. Tout le monde vient ici!

— Il n'y a pas autant de monde qu'avant, explique Charlotte. Dans ce temps-là, le parc était ouvert sept jours par semaine. Maintenant, nous ouvrons seulement du jeudi au dimanche. Les affaires vont mal. Et ça va empirer. Grand-papa dit qu'il va bientôt y avoir un nouveau site historique, le village des pionniers de Brattle, tout près de Rébus. Tout le monde va vouloir le visiter et ça va nous enlever des clients. Si le parc ne passe pas l'inspection la semaine prochaine, grand-papa va le vendre. Ça ferait bien mon affaire. Ils vont le démolir et en faire une station-service ou autre chose. Et je ne serai plus obligée de venir ici les fins de semaine pour donner un coup de main!

— Mais le Parc Crevier est génial! proteste Max. Si *mes* grands-parents étaient les propriétaires, je les aiderais même pendant la semaine!

— Je ne viens jamais ici la semaine, grogne Charlotte. *Jamais!*

Charlotte s'éloigne. Le cœur de Jessica bat à tout rompre. Le Parc Crevier, réduit à un tas de métal et de bois, et transformé en *station-service*? Tibère, brisé en mille morceaux?

— C'est une blague, dit Selena.

— Charlotte ne blague jamais, riposte Karl.

Jessica entre dans le bâtiment du carrousel et regarde autour d'elle. Le sol est tout usé et éraflé. La peinture des chevaux de bois est terne et écaillée. Les machines brisées sont entourées de ruban jaune. Jessica cherche des yeux M. Crevier, que tout le monde appelle grand-papa. Il est assis derrière le guichet de la billetterie et lit le journal. Personne ne fait la queue pour acheter des billets.

Le père de Jessica siffle doucement.

— Cet endroit ne passera jamais l'inspection!

— Il faut faire quelque chose, s'exclame Jessica. On doit sauver le parc!

— Moi, je propose d'utiliser nos laissez-passer gratuits pendant qu'il en est encore temps, dit Max en brandissant ses billets.

— J'ai faim, gémit Noé. Je veux manger tout de suite!

— Allons manger chez Frito-Fred, dit Mme Frigon. Nous reviendrons ensuite faire des tours de manège et après, nous sauverons le parc.

Tout le monde est d'accord.

Le restaurant Frito-Fred est situé à l'autre bout de la ville, près de l'école élémentaire Rébus. Il a la forme d'un immense seau vert, et des frites géantes dépassent du toit. À côté du restaurant se trouve Frito-Jeu, un terrain de jeu rempli de tunnels qui ressemblent à des hot-dogs.

Une statue représentant la mascotte du restaurant, Fred Patate, est devant la porte. Il s'agit d'un clown aux cheveux bruns bouclés et au long nez en forme de frite. Aujourd'hui, il tient une pancarte où on peut lire : FRITO-FRED, LA CHAÎNE DE RESTAURANTS LA PLUS POPULAIRE DE LA NOUVELLE-ANGLETERRE! UN NOUVEAU FRITO-FRED OUVRIRA BIENTÔT DANS VOTRE QUARTIER!

Les membres du Club Abracadabra passent leur commande et s'assoient. Les parents de Jessica prennent place à une autre table avec Noé, qui engloutit son repas en vingt secondes, puis disparaît dans les tunnels de Frito-Jeu.

— Bon, il *faut* que le parc passe l'inspection, dit Jessica. Qu'est-ce qu'on pourrait faire?

— Hypnotiser les inspecteurs? suggère Max.

— On pourrait faire une murale pour

embellir les murs, propose Selena. Comme je suis douée en dessin, je peux m'en charger. Vous autres, vous pourriez frotter, nettoyer et réparer des choses.

— Mon père peut réparer des machines, dit Max. La grande roue est une machine.

— Il ne peut pas *tout* réparer, dit Selena. Ça prendrait tout le village pour réparer un endroit aussi endommagé que le Parc Crevier.

— Tout le village… dit Karl en écrivant dans son carnet. Excellente idée, Selena!

— Tu trouves? demande Selena.

— On va en parler à tous les résidents de Rébus, continue Karl. On va leur demander de nous aider. On pourrait appeler ça la « Corvée de nettoyage au Parc Crevier » et distribuer des prospectus partout en ville.

Jessica bondit sur ses pieds :

— On pourrait avoir des musiciens! s'exclame-t-elle. Je vais demander au professeur Plamondon, qui dirige l'orchestre de Rébus. Il vit près de chez nous. En plus, c'est un ami du maire, M. Kosta. Peut-être qu'il viendra, lui aussi!

— M. Beaucage pourrait appeler la station de télévision et les journaux! propose Selena.

M. Beaucage est celui qui supervise le Club Abracadabra. Il est aussi l'enseignant de Karl, Jessica et Selena.

Karl prend des notes. Il est si concentré qu'il ne s'aperçoit pas que ses lunettes lui glissent sur le nez.

— Moi, je vais préparer une feuille d'inscription, dit-il. On l'affichera demain.

— Parfait! dit Jessica en terminant sa poutine. Sauvons le Parc Crevier!

— Sauvons le Parc Crevier! répète Max.

— Oups, dit Karl, lorsque ses lunettes tombent sur la table.

Selena se brosse les cheveux en souriant, l'air rêveur :

— J'ai toujours voulu être à la télé...

2
ALAKAZAM

— INSCRIVEZ-VOUS! proclame Karl
en arpentant le hall d'entrée de l'école, le
lendemain matin.

— AIDEZ-NOUS À SAUVER LE PARC
CREVIER! renchérit Jessica, qui se tient
avec Max et Selena près d'une table pliante
empruntée au directeur, M. Mercier.

Ils distribuent des prospectus aux élèves
qui circulent.

```
**SAUVONS LE PARC CREVIER
DE LA ~~DEMMO~~ DÉMOLITION!!**

GRANDE CORVÉE DE NETTOYAGE
AU PARC CREVIER!
SAMEDI, TOUTE LA JOURNÉE!
VENEZ AVEC VOTRE FAMILLE!

ÉVÉNEMENT ORGANISÉ PAR LE
MONDIALEMENT CÉLÈBRE
CLUB ABRACADABRA!

Jessica Frigon, Cerveau du club
```

— Excusez-moi, dit André Fiset, le plus horrible garçon de la quatrième année, qui prend un prospectus et s'en sert pour se moucher.

Selena devient verte de dégoût.

— Beurk! s'exclame-t-elle.

— DISPARAIS! crie Max en agitant sa baguette magique. SINON, JE TE TRANSFORME EN CAPOT!

— Il veut dire *crapaud*, dit Jessica.

— *Croâ! Croâ!* coasse André, qui s'éloigne en bondissant.

Il se mêle à un autre attroupement, à l'autre bout du corridor, où quelqu'un distribue aussi des prospectus. Les élèves sont beaucoup plus nombreux là qu'à la table du Club Abracadabra.

— VENEZ! VENEZ TOUS! crie Colin Jalbert.

André Fiset rote bruyamment.

Max tape sur l'épaule de Benoît Mondor, qui se tient derrière la foule.

— Est-ce que Colin et André prennent aussi des inscriptions pour la corvée de nettoyage?

Benoît tend un prospectus à Max. Jessica lit par-dessus son épaule :

— Le Club Alakazam? dit Jessica.

— Comment osent-ils? C'est *notre* Club qui est le meilleur! Le premier et le meilleur!

grogne Selena en sortant sa brosse et en la passant dans ses cheveux.

Selena se brosse toujours les cheveux quand elle est en colère. Et aussi quand elle est contente, nerveuse, perplexe ou excitée.

— Ils ont volé notre idée! déclare Max.

Jessica prend le prospectus du Club Alakazam et marche d'un pas décidé vers Colin et André, qui se tiennent au milieu du groupe d'élèves. Colin est coiffé d'un haut-de-forme deux fois plus haut que celui de Max. Il porte aussi un complet noir et une fausse moustache.

Il a vraiment du culot. Jessica n'oubliera jamais le jour où Colin a voulu faire partie du Club Abracadabra. Ses tours de magie étaient terribles. Il a failli ruiner le spectacle du Club lors du 75e anniversaire du Parc Crevier.

Jessica se plante devant Colin :

— Colin Jalbert, pourquoi nous copiez-vous?

Colin tortille sa fausse moustache :

— Vous copier? Nous? Est-ce que le grand Houdini copiait le Merveilleux Marcel?

— C'est qui, le Merveilleux Marcel? demande Jessica.

— Tu vois? Personne n'a jamais entendu parler de lui! réplique Colin. Tout comme personne ne se souviendra du Club

Abracadabra! Oups! Qu'est-ce que tu as derrière l'oreille?

Colin tend la main vers l'oreille de Jessica et en sort une pièce de vingt-cinq cents.

— Super! crie quelqu'un dans la foule.

— C'est le tour le plus facile du monde, dit Jessica. Tu avais le vingt-cinq cents dans la main. Je vais te montrer un *vrai* tour.

Elle prend la pièce de monnaie de Colin dans sa main droite. Elle soulève son bras gauche en gardant le coude plié. Puis elle frotte la pièce de monnaie sur l'arrière de son bras, au-dessus du coude.

— Si je frotte assez fort, elle va disparaître!

La pièce de monnaie tombe sur le sol.

— HA-HA-HA! s'esclaffe André. C'est ça, ton tour de magie?

Jessica s'empresse de ramasser la pièce.

— Quand on ne réussit pas du premier coup, on recommence!

Elle recommence, en frottant encore plus

fort. Puis elle montre la paume de sa main : elle est vide. La pièce de monnaie a disparu.

Jessica sourit et dirige son regard vers la foule, mais Colin lui bloquait la vue. Personne n'a pu voir son tour!

— Venez voir le célèbre Club Alakazam! crie Colin.

— Colin Jalbert, ce n'est pas juste! proteste Jessica.

André se penche vers Jessica et rote à son oreille.

— Tu sais, personne n'a dit que le Club Abracadabra avait l'exclusivité!

Cet après-midi-là, dans un petit local du sous-sol de l'école, Jessica frappe le bureau de sa baguette magique.

— Il faut les empêcher de faire ça!

L'école est finie. Les membres du Club Abracadabra sont réunis dans leur local, comme tous les lundis et jeudis. Puisque

Jessica est le cerveau du Club, c'est elle qui dirige les réunions.

— Tu es censée dire : « Je déclare la séance ouverte », dit Karl en ouvrant le Carnet de réunions officiel. Il est le scribe du Club, c'est-à-dire celui qui prend des notes. Dans le Carnet de réunions, il inscrit tout ce qui se dit lors des rencontres du Club. Dans le Carnet des dossiers du Club, il note les tours de magie et la façon de les réaliser. Quand le Club enquête sur un mystère, il note chaque étape dans le Carnet d'indices. Une fois les mystères résolus, il les consigne dans le Registre des mystères. Karl est toujours en train d'écrire, même pendant qu'il mange ou qu'il marche. Certains disent même qu'il écrit en dormant, mais personne n'a pu le prouver.

— Un peu d'ordre! C'est moi qui commande! lance Jessica.

— Commande? s'écrie M. Beaucage en

entrant dans la pièce. D'accord, je veux un sandwich à la dinde!

Pendant la semaine, M. Beaucage est enseignant, mais la fin de semaine, il se transforme en Stanislas Beaucage, le presque célèbre magicien du Far West. Il donne des spectacles de magie dans des réceptions. Avec sa tête chauve luisante et sa barbiche pointue, il a l'air d'un grand gnome ou d'un sorcier sympathique.

— Monsieur Beaucage, il faut qu'on parle du Club Alakazam, dit Selena en se brossant les cheveux. Leurs tours sont pitoyables, mais leurs costumes sont superbes, et ça nous donne l'air ridicule.

Selena est la styliste du Club. Elle s'occupe des costumes, des décors et des accessoires.

— Ils ont le droit de faire de la magie, eux aussi, dit M. Beaucage en s'installant au bureau. Il va falloir prouver que notre club est le meilleur, c'est tout.

— Ouais! dit Max, qui est le Numa du

Club (personne ne sait ce qu'est un Numa, mais ça va plutôt bien à Max). Le Club Abracadabra est le meilleur! Le plus original! Le...

On entend soudain une explosion de musique et des acclamations. Ça semble provenir du plafond.

Jessica s'élance hors de la pièce. Suivie des autres, elle se précipite dans le couloir, grimpe les escaliers quatre à quatre et court jusqu'au gymnase.

Les portes sont ouvertes. Une grande bannière suspendue au-dessus de l'entrée proclame :

BIENVENUE AU CLUB ALAKAZAM!

Des dizaines d'élèves sont rassemblés dans le gymnase.

— On est cuits, dit Selena.

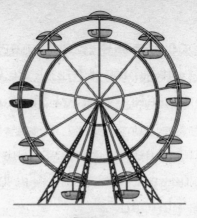

3

La grande corvée

CRIIIII! PLONNNN! TUUUUT!

— Pas si fort, les trompettes! crie le
professeur Plamondon.

Les sons produits par l'orchestre de Rébus
font penser à une basse-cour. Mais ce n'est
pas grave : grâce aux efforts du Club
Abracadabra, le Parc Crevier est rempli
de bénévoles ce samedi-là. La corvée
de nettoyage va commencer. Tous les
participants sont en vêtements de travail

et sont munis de pinceaux, de marteaux, de balais et de seaux. Fred Patate, le clown de Frito-Fred, distribue des hot-dogs gratuits. Même le maire est présent. Jessica est ravie.

— Regardez-moi cette foule, dit Max. Tous les habitants de Rébus sont là! La moitié de l'État! Ils crient… Ils veulent MAX LE MAGNIFIQUE!

— Cent quarante-sept personnes sont venues, dit Karl en écrivant dans son carnet. Cent cinquante-neuf, si on compte les bébés dans les poussettes.

— Les inspecteurs vont accorder un A+ au parc! s'exclame Jessica en installant la table du Club près de l'estrade du maire.

— Prêt pour des tours de magie, monsieur le maire? demande Max.

Le maire éclate de rire :

— Vous pourriez peut-être jeter un sort à l'orchestre pour accorder les instruments!

Selena éloigne la table de l'estrade.

— On ne peut pas s'installer *ici*. Il faut

qu'on soit près de la grande roue. C'est le décor idéal pour les séances de photos des journaux et de la télé. Bon, où devrait-on mettre la bannière du Club?

Jessica et Selena passent devant Charlotte Crevier, qui tient un énorme trousseau de clefs.

— Dans la poubelle, grommelle-t-elle.

— Pourquoi es-tu de si mauvaise humeur? demande Jessica.

— Mon grand-père a fait réparer le jeu de soccer de table et la machine à frapper la monnaie. Ça me donne plus de travail. Je dois déverrouiller tous les coffrets de branchement. Qui a eu cette stupide idée de corvée de nettoyage?

Derrière Charlotte, des bénévoles sont en train de retaper le bâtiment du carrousel. Certains lavent les vitres et d'autres balaient le plancher. Une équipe donne un coup de pinceau aux chevaux et astique les poteaux de métal du carrousel.

— Mais c'est amusant, Charlotte, dit Jessica. De toute façon, ce n'est pas toi qui travailles le plus!

Le maire monte sur l'estrade et prend le micro :

— BIENVENUE, CHERS RÉSIDENTS DE RÉBUS! AUJOURD'HUI, NOUS SOMMES RÉUNIS POUR AIDER NOS AMIS ET VOISINS, ERNEST ET FRANÇOISE CREVIER!

— Mon grand-père ne l'aime pas, dit Charlotte. Mais moi, oui. Il y a deux ans, il a dit que le parc était une horreur. Il a essayé de le faire fermer. Peut-être qu'il va réussir un jour!

Pendant que Charlotte s'éloigne, Selena fait la grimace :

— Grognonne un jour, grognonne toujours...

Elle aperçoit une longue tige de métal insérée dans deux crochets sur le coffret de branchement de la grande roue. Elle se dit

que la tige doit servir à fermer le coffret.
Ces crochets sont parfaits pour la bannière
du Club.

BLIIIP! TAAAM! VOOOUMP! continue
l'orchestre. Fred Patate se bouche les oreilles.
Il n'est pas le seul.

Une camionnette arrive. Elle porte le logo
de la station de télé WRBS. Un homme muni
d'un micro en sort, suivi d'une femme armée
d'une caméra.

Selena se met à se brosser frénétiquement
les cheveux :

— Souriez! C'est notre heure de gloire!

Mais une autre camionnette arrive.
Celle-là porte l'inscription : JALBERT
CONSTRUCTION. La porte s'ouvre :
Colin, André, Benoît et deux autres garçons
en sortent. Ils portent des chemises blanches,
des pantalons noirs lustrés, des capes de
velours noir et des hauts-de-forme. Colin
tient un micro sans fil.

— MESDAMES ET MESSIEURS! VOICI

LE MOMENT QUE VOUS ATTENDIEZ TOUS!

M. Jalbert, le père de Colin, lance quelque chose par terre. *Pouf!* Un nuage de fumée s'élève. Quand il se dissipe, les cinq garçons ont disparu.

Ils réapparaissent devant le carrousel, le dos tourné à la foule. Sur leurs capes, on peut lire ces mots en lettres argentées : CLUB ALAKAZAM.

De la musique jaillit de la camionnette. Une voix chante : *Nous voilà, nous voilà, nous voilà! Alakazam est là!*

L'équipe de télévision s'approche. Deux caméras se braquent sur les membres du Club Alakazam. André se met à baver et à faire des grimaces monstrueuses.

— Une chanson-thème? dit Jessica.

— De la fumée? ajoute Karl.

— Et regardez ces superbes capes, murmure Selena.

— Un *vrai* club de magie n'a pas besoin de costumes tape-à-l'œil ni d'effets spéciaux achetés par les *parents*! dit Jessica d'un ton sec.

— Bon, moi, je m'en vais, grommelle Charlotte.

— NE VOUS OCCUPEZ PAS D'EUX! clame Max. MAX LE MAGNIFIQUE ET LE CLUB ABRACADABRA SONT LÀ!

Mais personne ne l'écoute. Un autre nuage de fumée s'élève dans un grand *pouf!* Quand il se dissipe, le carrousel tourne, avec les membres du Club Alakazam juchés sur les chevaux de bois.

La foule pousse des *oh!* et des *ah!* Fred Patate tente d'enfourcher un cheval à l'envers et retombe aussitôt. Les caméras de la télé filment tout.

— Je n'ai jamais rien vu d'aussi idiot, déclare Max.

— Dire que je croyais faire mes débuts à la télé… grogne Selena.

— Il faut obtenir l'attention de la foule, dit Jessica en prenant une longue corde sur la table et en y faisant un nœud.

Puis elle s'adresse à la foule en brandissant une paire de ciseaux :

— J'ai besoin d'un volontaire!

Noé, qui vient d'arriver avec sa mère, court vers elle. Jessica lui tend les ciseaux et lui dit de couper la corde près du nœud.

Noé coupe la corde, salue la foule à onze reprises, puis retourne en courant auprès de sa mère.

Jessica montre la corde aux spectateurs.

— Maintenant, j'ai deux petites cordes attachées par un nœud. Je vais les enrouler autour de ma main et le nœud va disparaître comme par magie. Il ne restera qu'une longue corde. Mais vous devrez dire *Abracadabra* quand j'aurai fini de compter jusqu'à trois!

L'idée de Jessica fonctionne. Un à un, les spectateurs s'attroupent pour regarder son tour. Même la caméra de télé s'approche. Pendant que Jessica enroule la corde, Max, Selena et Karl comptent en chœur :

— Un, deux, trois...

— ALAKAZAM! crie Colin Jalbert dans son micro.

Jessica attend, immobile. Mais Colin a surpris les spectateurs. Ils se tournent tous vers lui, tout comme l'équipe de télévision.

Colin se tient debout près du carrousel et jette des regards nerveux à sa gauche.

— J'ai dit : ALAKAZAM!

André sort des toilettes en courant.

— Je suis là!

Il enlève son chapeau et en tire un lapin en peluche blanc couvert de taches de chocolat.

La foule applaudit pendant qu'André fait saluer son lapin. La caméra les prend en gros plan.

— On est encore en train de les perdre,

dit Jessica. Hum! *Quelqu'un aurait-il l'obligeance de dire « Abracadabra »?*

— Rapprochons-nous des caméras, propose Selena en tirant la table vers le Club Alakazam.

— Hum! ENSUITE, JE VAIS FAIRE UN TOUR AVEC CE LASSO! proclame Colin.

Il sort une longue corde, puis la fait tournoyer. Elle s'envole de ses mains.

— Heu, il l'a fait exprès, dit André pendant que Colin court ramasser la corde. Ha! Ha! Ha! Et maintenant, je vais sortir des trombones de mon nez!

Selena se plante soudain devant André et regarde les caméras en souriant :

— Mesdames et messieurs, Jessica va terminer son incroyable tour de magie si vous dites tous *Abracadabra!*

Jessica obtient enfin l'attention des spectateurs. Quelques personnes se mettent à crier :

— ABRACADABRA!

Jessica déroule la corde. Il n'y a plus qu'*une* corde, et aucun nœud! La foule applaudit à tout rompre.

— Extraordinaire! crie le maire.

Puis Colin revient en courant. Il tient un bout du lasso. L'autre extrémité traîne derrière lui.

— Attendez! crie-t-il. Je vais maintenant enrouler mon lasso autour de cette baguette magique. Et, heu, la baguette va disparaître!

Il sort une tige de métal de sa ceinture et commence à enrouler le lasso. Mais quand il est parvenu à mi-chemin, la corde se tend soudain. L'autre bout est coincé quelque part, près de l'attraction des bateaux.

— Oups! dit Colin.

— DITES DONC! JE DEVRAIS PEUT-ÊTRE AIDER CE JEUNE HOMME! crie Max en tirant un mouchoir rouge de sa cape. MAIS TOUT CE QUE J'AI, C'EST UN PETIT MOUCHOIR. HUM... ET SI JE

DISAIS UNE FORMULE MAGIQUE?
ABRACADABRA... FLIC... NUMISMO!

Max donne un petit coup sec sur le mouchoir rouge. Soudain, il tire de sa cape toute une série de mouchoirs noués ensemble!

CLING! BING!

La machine à frapper la monnaie s'ouvre soudain, laissant dégringoler des centaines de jetons de métal sur le sol!

Tout le monde pousse des exclamations en désignant l'appareil, sans porter attention à Max.

— Holà! s'écrie Karl.

Max se frappe le front :

— Oh, oh! Je crois que je me suis trompé de formule. Celle-là fait apparaître des pièces de monnaie. Celle des mouchoirs, c'est : ABRACADABRA... FLOP... NAMISMOU!

CRAAAC!

La grande roue se met alors à tourner lentement, toute seule.

— Regardez! s'écrie un spectateur. La grande roue est hantée!

— Max, arrête! crie Selena.

— C'est moi qui ai fait ça? demande Max, étonné.

Grand-papa Crevier court vers la grande roue. Mais il se retrouve soudain les pieds dans l'eau.

FLOUCHE!

L'eau déborde de l'attraction des bateaux. Elle déferle sur le sol et progresse vers la foule. Selena, qui porte de jolis souliers de cuir, glisse. Elle s'accroche à Karl, qui tombe avec elle. La moitié de la foule éclate de rire. L'autre moitié essaie de quitter les lieux pour ne pas se faire mouiller.

Les caméras enregistrent tout.

Jessica a le cœur serré. Le Parc Crevier tombe en ruine sous leurs yeux.

4

Adieu, manèges...

Ce soir-là, tous les membres du Club Abracadabra se réunissent chez Jessica pour regarder le bulletin de nouvelles à la télé. Quelques voisins sont là également, dont le professeur Plamondon. Peu après le début de l'émission, le présentateur dit :

« La journée avait pourtant très bien commencé au Parc Crevier. Tout le monde travaillait, s'amusait… et faisait des tours de magie! »

— C'est nous! s'exclame Max en se levant d'un bond.

— J'ai déjà fait une publicité pour la télé! dit Noé.

— Chut! fait Jessica.

L'écran montre la bannière du Club Alakazam. On entend son thème musical. On voit ensuite un nuage de fumée, puis André qui sort un lapin en peluche de son chapeau. La foule pousse des acclamations.

« Mais, malheureusement, poursuit le présentateur, ces jeunes magiciens n'ont pas eu l'occasion de faire la preuve de leur talent, parmi les manèges désuets et les rêves brisés du Parc Crevier. »

On voit maintenant à l'écran Jessica et Karl qui tombent dans l'eau. Max agite sa baguette magique d'un air confus. Selena pousse des cris en enlevant ses souliers.

En se voyant à l'écran, Selena a une expression peinée :

— Ces souliers m'ont coûté une fortune!

La caméra montre ensuite grand-papa Crevier en train d'essayer de réparer la grande roue, les deux pieds dans l'eau. Le présentateur continue d'un ton sérieux :

« Avec tous les problèmes que connaît ce vieux parc d'attractions, et avec la perspective du village historique qui va bientôt ouvrir, la prochaine machine qui va surplomber le Parc Crevier ne sera pas une grande roue, mais bien un boulet de démolition! »

— Noooon! crie Noé, qui sort de la pièce en tapant du pied.

— C'est raté pour l'inspection, dit Karl.

— Comme c'est triste, dit le professeur Plamondon.

Jessica a le cœur brisé. Il n'y a plus d'espoir pour le parc, à moins que le Club Abracadabra ne fasse quelque chose.

— Allons dans le garage, dit-elle à ses amis. Il faut trouver une solution.

Jessica, Max, Karl et Selena sortent de la maison. La soirée est douce, et le garage sent l'huile à moteur et le gazon coupé.

— On avait l'air tellement stupides, au téléjournal, grogne Selena.

— Colin et André paraissaient meilleurs que nous, ajoute Karl.

— La caméra n'a pas montré aucun de nos tours, se lamente Max.

— Comment pouvez-vous penser seulement à nous? proteste Jessica. Pensez donc au Parc Crevier! On était censés le sauver, et regardez ce qui est arrivé!

— C'est de ma faute, dit Max, les yeux pleins d'eau. J'ai toujours eu de la difficulté avec la formule magique pour le tour des mouchoirs.

— Ce n'est pas de ta faute, dit Selena. Ce n'est pas de notre faute. Le Parc Crevier est vieux et délabré.

— Mais la machine à monnaie venait d'être réparée, dit Jessica. Elle fonctionnait. Et pourtant, elle s'est encore brisée!

Karl se met à écrire dans son carnet :

— Machine à frapper la monnaie… Grande roue… Tours de bateau. Trois attractions. Vous ne trouvez pas ça bizarre qu'elles brisent toutes les trois en même temps, pendant que les caméras de la télé sont là?

— Peut-être que quelqu'un a fait ça délibérément, dit Selena. Quelqu'un qui n'aime pas le Parc Crevier!

— Tout le monde aime le Parc Crevier, proteste Jessica.

— Pourquoi quelqu'un voudrait-il détruire le parc? demande Karl. Quel serait son mobile?

— C'est peut-être une personne qui trouve le parc très, très laid, suggère Selena.

Karl écrit à toute allure :

— Qui pense que c'est une horreur, tu veux dire?

— C'est ça, dit Selena.

— Ça y est! Je crois que tu as trouvé, Selena, dit Karl, si énervé qu'il en échappe presque ses lunettes. Tu te souviens de ce que Charlotte a dit? Il y a deux ans, le maire voulait que le Parc Crevier ferme. Il pensait que c'était une horreur!

— Le maire Kosta? répète Selena en hochant la tête. Mais il ne peut pas avoir saboté les appareils. Il était sur l'estrade à ce moment-là.

— Il aurait pu demander à ses assistants de le faire pour lui pendant les spectacles de magie, explique Karl. Comme ça, il aurait été à l'abri de tout soupçon! Et avec les caméras qui étaient là, tous les téléspectateurs ont vu à quel point le parc est délabré. Le maire n'aurait donc eu aucun mal à convaincre tout le monde qu'il faut le fermer!

— Hé, vous parlez de notre *maire*! leur

rappelle Selena. Il a fait beaucoup pour Rébus. La moitié de la ville porte son nom : le parc Kosta, la tour Kosta, le Centre des arts Kosta...

— Il y a un moyen d'en avoir le cœur net, dit Jessica. Il faut qu'on parle à quelqu'un qui connaît le maire Kosta mieux que quiconque. Attendez-moi ici.

Elle ouvre la porte du garage et sort en courant. Elle revient quelques minutes plus tard avec le professeur Plamondon.

— Bonsoir! Seriez-vous intéressés à faire partie de l'orchestre, par hasard? demande-t-il.

— Heu, pas tout à fait, professeur, dit Jessica. Dites-nous, vous êtes l'ami du maire Kosta, n'est-ce pas?

— Mais oui, répond le professeur en riant. Même s'il n'arrête pas de se plaindre de mes musiciens. Comment avez-vous trouvé qu'ils jouaient?

— Faux, dit Max. Et fort.

— Qu'est-ce que le maire pense du Parc Crevier? demande Jessica. Simple curiosité…

— Eh bien, il a prononcé un beau discours lors de la corvée de nettoyage, répond le professeur. Il était charmant, inspiré, éloquent…

— Mais est-ce qu'il pense vraiment que le parc d'attractions est bon pour le village de Rébus? insiste Karl. Qu'en pense-t-il vraiment?

Le professeur prend une profonde inspiration et s'accroupit :

— Entre vous et moi, il souhaite que le Parc Crevier disparaisse et qu'il soit remplacé par le centre commercial Kosta.

Jessica regarde ses amis. On dirait bien qu'ils ont trouvé le coupable.

5

Qui va là?

— La séance est close! déclare Jessica en frappant la table de sa baguette magique.

C'est le lundi qui suit la corvée de nettoyage. La réunion du club s'est très mal déroulée. Les membres n'ont pas fait un seul tour de magie. Pendant presque une heure et demie, ils ont uniquement parlé du maire Kosta et du Club Alakazam.

Max, Karl, Selena et Jessica remontent au

rez-de-chaussée. Aujourd'hui, Jessica doit aller chercher Noé au programme d'activités parascolaires, à l'auditorium. Il est déjà presque 17 h. En passant dans le couloir, elle entend des rires et de la musique en provenance du gymnase.

Les amis jettent un regard à l'intérieur. Des élèves sont rassemblés autour de Colin et d'André. Ils essaient des capes et des hauts-de-forme.

— Tous ceux qui deviennent membres aujourd'hui vont recevoir une véritable pièce d'or du Club Alakazam! crie Colin en brandissant une pièce de métal.

— Et ils pourront admirer gratuitement ma collection de vers! renchérit André. Une valeur de 20 dollars!

— Hé oui! Le Club Alakazam, celui que vous avez vu à la télé, poursuit Colin. Le plus célèbre club de magie de Rébus. Les as des tours de passe-passe! Les autres sont inférieurs; choisissez les meilleurs!

— Je ne veux pas voir ça, dit Jessica. Partons!

Les quatre amis se dirigent vers l'auditorium. En voyant sa sœur, Noé accourt en disant :

— Jessica! Regarde! Je suis un magicien!

Jessica en reste bouche bée. Noé porte une cape du Club Alakazam.

— Où as-tu pris ça?

— C'était gratuit! André voulait seulement que j'écrive mon nom sur un bout de papier.

— *Tu t'es inscrit au Club Alakazam?*

— Ah oui? répond Noé, les yeux pleins d'eau.

Jessica pousse un soupir.

— Ne t'en fais pas, dit-elle en enlevant gentiment la cape des épaules de son petit frère. Je vais dire à André d'effacer ton nom. Rentrons à la maison.

Jessica sort de l'école. Le père de Max l'attend dans la voiture pour l'accompagner chez le dentiste. Jessica rentre à pied avec

Noé, Karl et Selena. En arrivant à l'étang aux canards, elle tourne en direction du Parc Crevier.

Le parc est fermé le lundi. Dans le crépuscule, le bâtiment vitré a une lueur orangée. On dirait une ancienne carte postale. Jessica ne peut pas distinguer la peinture écaillée, ni les manèges brisés.

Mais elle peut voir une silhouette qui se déplace dans l'obscurité. Elle s'arrête net.

— Il y a quelqu'un dans le parc! dit-elle.

— Où ça? demande Karl.

— À côté du carrousel! Regardez!

Les quatre amis s'immobilisent et observent le bâtiment. Une silhouette en sort et se dirige vers les manèges à l'arrière. Pendant un instant, elle sort de l'ombre et Jessica peut distinguer une masse de cheveux bruns frisés.

— Charlotte? chuchote-t-elle.

— Elle disait pourtant qu'elle n'allait

jamais au Parc Crevier pendant la semaine, fait remarquer Karl.

— Je le savais! s'exclame Selena. Elle essaie de détruire le parc. C'est elle qui a tout brisé. Elle a les clés, et elle déteste le parc. La paresseuse!

— Chut, fait Jessica en s'accroupissant près de la clôture du stationnement. Venez avec moi. Ne faites pas de bruit!

— *Es-tu folle?* s'écrie Selena. Et si elle nous voit?

— C'est Charlotte, pas King Kong, dit Karl.

Noé éclate de rire. Il est tellement énervé que Jessica doit le retenir pour l'empêcher de gambader devant eux. Elle avance sur la pointe des pieds jusqu'à l'entrée du parc. Une pancarte portant le mot « FERMÉ » y est suspendue. Jessica se glisse dessous, suivie de Karl et Selena.

Quand Noé les rejoint à son tour, il sourit d'un air ravi.

— C'est moi le premier dans les autos tamponneuses! lance-t-il avant de partir en courant.

— Non!

Jessica veut le retenir, mais il est difficile de crier et de chuchoter en même temps. Elle se lance à sa poursuite, laissant Selena et Karl derrière elle. Mais Noé a disparu derrière le bâtiment du carrousel.

Le soleil se couche derrière eux. L'autre côté du bâtiment est plongé dans l'obscurité. Jessica s'arrête. Tout est gris dans la pénombre. Elle voudrait appeler Noé et les autres, mais elle sait qu'elle doit garder le silence. C'est la seule façon de prendre Charlotte en flagrant délit.

Jessica avance lentement en longeant le mur. Elle dépasse un boyau d'arrosage, un levier de métal portant la mention « TUYAU DE DRAINAGE » et le guichet de la billetterie.

Les autres manèges se trouvent au-delà du

guichet. Elle continue d'avancer sur la pointe des pieds, les yeux fixés devant elle. Soudain, quelqu'un sort du guichet, d'un bond... quelqu'un qui a une masse de cheveux bruns frisés.

— AAAAAH! crie Jessica.

— AAAAAH! crie une voix grave.

Jessica sait que ce n'est pas Charlotte. Charlotte ne mesure pas 1,80 m.

6

À un cheveu près!

— Jessica, qu'est-ce qui s'est passé? demande Karl en tournant le coin du bâtiment avec Selena.

Jessica se précipite vers lui, hors d'haleine :

— Une personne... des cheveux frisés...

— *Des cheveux frisés?* répète Selena. Tu as vu Charlotte?

— Ce n'était pas elle, répond Jessica. C'était quelqu'un de très grand, aussi grand que mon père! Il a... il m'a sauté dessus!

— *Jessica! Où es-tu?*

C'est la voix de Noé. Il arrive en courant de l'autre côté du bâtiment. Jessica le prend dans ses bras. Elle ne sait pas si elle doit le gronder ou l'embrasser.

— Beurk! Pas de becs! proteste Noé.

Par-dessus l'épaule de Noé, Jessica voit une voiture se garer dans le stationnement. La portière s'ouvre et grand-papa Crevier en sort.

— Hé, vous autres! Qu'est-ce que vous faites là? Partez d'ici ou j'appelle la police!

Jessica saisit la main de Noé, et les quatre enfants déguerpissent sans demander leur reste.

Deux heures plus tard, une fois le souper terminé, Max arrive chez Jessica. Karl et Selena sont déjà là. Le poste de télévision est allumé, mais personne ne le regarde.

— Je *savais* que j'aurais dû revenir avec vous, dit Max en enlevant sa veste. J'aurais

pu vous aider. Je sais exactement ce qu'il faut faire pour éloigner les vampires.

— *Ce n'était pas un vampire!* proteste Jessica. C'était une personne, déguisée en Charlotte!

— Pourquoi quelqu'un voudrait-il se déguiser en Charlotte? demande Selena.

Karl ouvre son carnet.

— Inconnu à la tignasse bouclée, aperçu au Parc Crevier... dit-il tout en écrivant.

À la télévision, on donne un aperçu du bulletin de nouvelles qui va suivre. Pendant qu'une photo de grand-papa Crevier apparaît au coin de l'écran, le présentateur annonce d'un air grave :

« Les derniers développements de la saga du Parc Crevier. Ce soir, le propriétaire, monsieur Ernest Crevier, mieux connu sous le nom de grand-papa Crevier, a signalé une entrée par effraction. Soyez à l'antenne à 22 h pour plus de détails. »

— *Une entrée par effraction?* dit Jessica.

On entend maintenant la chanson-thème de Frito-Fred. Des familles à l'air joyeux entrent dans le restaurant et serrent la main du clown Fred Patate. « Hé, hé, hé! Venez chez Frito-Fred déguster notre Festin de frites fabuleuses! lance Fred Patate d'une voix nasillarde. Frito-Fred est un restaurant familial sans égal qui connaît une croissance phénoménale! Rappelez-vous, il y aura bientôt un Frito-Fred près de chez vous! »

— Bon, si on éteignait la télé, dit Selena.

Elle tend la main vers la télécommande, mais Karl l'en empêche.

— Attends! dit-il, les yeux fixés sur l'écran. Regardez. Que voyez-vous?

Max se gratte la tête :

— Des frites? Des enfants sans talent?

— Non! dit Karl en écrivant dans son carnet. Vous voyez quelqu'un qui a un mobile pour ruiner le Parc Crevier. C'est quelqu'un qui ouvre des restaurants un peu partout. Des restaurants avec des terrains de jeu *intérieurs*!

— Frito-Jeu, tu veux dire? demande Selena.

— Karl a raison, dit Jessica. Il y a de plus en plus de restaurants Frito-Fred. Ils ont besoin d'espace. Le Parc Crevier est très grand. Ils pourraient y bâtir un énorme Frito-Jeu!

— La personne que Jessica a vue n'était pas Charlotte, conclut Selena. C'était un homme aux cheveux frisés : Fred Patate!

— Un clown se serait faufilé dans le parc? demande Max.

— Non! réplique Karl. L'homme qui joue le rôle du clown. Je l'ai vu. Ses cheveux sont vraiment comme ça. Rappelez-vous : Fred Patate était présent à la corvée de nettoyage. Mais une fois que le spectacle de magie a commencé, où était-il? Où se trouvait-il quand les choses se sont mises à mal tourner?

— Je ne me rappelle pas l'avoir vu, dit Max d'un air songeur. Mais j'étais trop occupé à faire des tours de magie.

Jessica réfléchit. Fred Patate était là pour le premier tour du Club Alakazam, quand Colin et ses amis sont montés sur les chevaux du carrousel. Mais elle ne l'a pas revu par la suite.

— Tout le monde, y compris les bénévoles, regardait nos tours de magie et ceux du Club Alakazam, dit-elle. Fred Patate aurait très bien pu s'éloigner discrètement.

— Mais pourquoi était-il au parc, ce soir? demande Selena.

— Pour terminer son sale travail, répond Jessica. Mais on lui a sûrement fait peur. S'il ne s'était pas enfui, grand-papa Crevier l'aurait pris sur le fait.

Karl referme son calepin :

— Il faut en parler à grand-papa Crevier avant qu'il soit trop tard!

7

Un petit oiseau

Jessica consulte sa montre. Il est 7 h 13.
Elle n'est jamais arrivée à l'école aussi tôt.
La journée est froide et maussade, un temps
idéal pour dormir. Mais elle sait que c'est
l'heure à laquelle M. Beaucage arrive à
l'école. Et elle a hâte de lui parler des
déductions du Club Abracadabra.

Selena marche de long en large sur la
pelouse de l'école. Karl gribouille dans son

carnet. Max somnole sur le gazon, enroulé dans sa cape.

— Le voilà! s'écrie nerveusement Selena en sortant sa brosse. Réveille-toi! ajoute-t-elle en poussant Max du pied.

La limousine de M. Beaucage se gare le long du trottoir. C'est la seule voiture de l'histoire à être surmontée d'un chapeau haut-de-forme en métal, soudé au toit. L'antenne radio est une longue baguette magique, et une cape de toile noire flotte au-dessus du coffre. Sur chaque portière, on peut lire : STANISLAS BEAUCAGE, LE PRESQUE CÉLÈBRE MAGICIEN DU FAR WEST, RÉCEPTIONS POUR PETITS ET GRANDS.

Jessica, Karl et Selena vont à la rencontre de leur enseignant et lui racontent ce qu'ils ont découvert. M. Beaucage les écoute attentivement. Max arrive en trébuchant, tout endormi, la baguette magique à la main.

— Mon père a essayé de téléphoner à

grand-papa Crevier hier soir, dit Jessica. Mais il n'y avait pas de réponse. Il faut que vous nous aidiez. Savez-vous où on peut le trouver?

— Suivez-moi, dit M. Beaucage en commençant à remonter la rue. Je sais exactement où il est. Je connais tous les lève-tôt de Rébus.

— Lève-tôt? répète Karl.

— Oui, grand-papa Crevier se lève toujours avant l'aube, explique M. Beaucage. Moi aussi, d'ailleurs. Chaque matin, avant l'école, je vais déjeuner dans un restaurant différent. Mais grand-papa Crevier, lui, mange toujours au même endroit.

Jessica, Max, Karl et Selena suivent leur enseignant. Leurs parents connaissent bien M. Beaucage et ils ont tous signé un formulaire l'autorisant à quitter le terrain de l'école avec leurs enfants.

— Quel est le restaurant favori de grand-papa Crevier? demande Jessica.

— Celui qui sert le meilleur café : Frito-Fred! répond M. Beaucage.

— *Quoi?* s'exclament en chœur Jessica, Karl et Selena.

— *Hein?* fait Max, qui commence à peine à se réveiller.

— Qu'est-ce qu'on va lui dire? demande Selena en se brossant les cheveux avec tellement d'énergie qu'on entend des crépitements d'électricité statique. Que Fred Patate veut ruiner son parc? Il ne nous croira jamais.

— La vérité ne fait de mal à personne, dit M. Beaucage.

Le restaurant Frito-Fred le plus près se trouve à deux pâtés de maisons de l'école. M. Beaucage ouvre la porte aux enfants en respirant à fond :

— Hum! Sentez-moi cette bonne odeur de jambon et d'œufs!

Jessica avale sa salive. Elle regarde aux alentours, mais ne voit pas Fred Patate. Elle entre en poussant un soupir. Le restaurant est différent le matin. Plus calme, sans cris d'enfants et surtout fréquenté par des personnes âgées.

Grand-papa Crevier est assis avec un autre homme à une table près de la fenêtre. Jessica s'approche de lui :

— Excusez-moi, grand-papa Crevier! J'ai quelque chose à vous dire.

Le vieil homme se tourne vers elle. Son sourire disparaît.

— C'est vous! Les enfants du Club Abracadabra. C'est vous qui êtes entrés par effraction dans mon parc, hier!

— Heu, je… commence Jessica en regardant l'homme assis en face de grand-papa Crevier. Il porte un bonnet tricoté enfoncé jusqu'aux oreilles. Son visage lui dit quelque chose.

— Oui, Ernest, dit l'homme en retirant son chapeau. Je les ai vus, moi aussi.

Jessica a un mouvement de recul. Les

cheveux de l'homme sont bruns et bouclés. Elle pense savoir de qui il s'agit.

— Vous êtes Fred Patate?

— Eh oui! répond l'homme. Ce sont mes vrais cheveux. En réalité, mon nom est Fred Fredette.

— Vous êtes Fred Fredette? demande Karl. Le propriétaire de Frito-Fred?

— C'est bien ça, dit M. Fredette.

Max fouille dans ses poches.

— Est-ce que je pourrais avoir votre autographe? demande-t-il.

— C'est *Fred Fredette* le coupable! s'écrie Selena en le désignant d'un doigt accusateur. On l'a vu!

— Il rôdait entre les manèges, balbutie nerveusement Jessica. Il faisait tard et il était noir... je veux dire, il était tard et il faisait noir. Je pensais que c'était Charlotte. À cause de ses cheveux. Puis Noé est entré dans le parc. J'ai voulu l'arrêter, mais il est parti en courant et je l'ai poursuivi, et c'est alors que je l'ai vu. *Lui! Fred Fredette! Il veut ruiner le Parc Crevier!*

Grand-papa Crevier prend une profonde inspiration. Il replie soigneusement sa serviette.

Fred Fredette recule sa chaise, le regardant fixement.

— Est-ce que c'est vrai, Fred? demande grand-papa Crevier. Est-ce que tu rôdais dans le parc, hier soir?

— Oui, monsieur, répond M. Fredette.

Jessica se rapproche de M. Beaucage.

— Oh-oh! dit-elle à voix basse.

— Qu'est-ce qu'on fait, maintenant? chuchote Selena.

— On ap-appelle 9-1-1? dit Karl d'une petite voix.

C'est alors que grand-papa Crevier et Fred Fredette éclatent de rire.

— Qu'est-ce qu'il y a de si drôle? leur demande Max.

— M. Fredette s'est rendu au parc pour me rencontrer, explique grand-papa Crevier.

— Vous rencontrer? répète Jessica.

— Il aime beaucoup notre parc d'attractions, poursuit grand-papa Crevier. Il y venait quand il était petit. Il a entendu parler de nos problèmes, et il voulait nous aider.

— Nous avons convenu que j'ouvrirais un comptoir Frito-Fred au casse-croûte, confirme M. Fredette.

— En échange, dit grand-papa Crevier, M. Fredette accepte de payer toutes les réparations pour remettre les attractions en bon état.

— Même la grande roue? demande Karl.

— Et les tours de bateau? questionne Selena.

— Et la machine à frapper la monnaie? ajoute Max.

— Oui, confirme Fred Fredette. Et peut-être même le vieil amphithéâtre où on donnait des spectacles de magie avant.

— Comme celui de Stanislas Beaucage! intervient M. Beaucage.

— Et bientôt, celui du Club Abracadabra, j'espère! ajoute grand-papa Crevier.

Jessica s'assoit. Elle se sent horriblement mal à l'aise.

— Je suis désolée, dit-elle.

Grand-papa Crevier lui met la main sur l'épaule :

— Ne t'en fais pas. D'une certaine façon, c'est grâce à vous que tout ça va se réaliser. Voyez-vous, un petit oiseau m'a parlé de vos inquiétudes au sujet du parc et aussi des efforts que vous avez faits pour le nettoyer. Et c'est le même petit oiseau qui m'a suggéré de parler à Fred Fredette.

— Un petit oiseau? demande Jessica. Qui ça?

— Ma petite-fille, répond grand-papa Crevier en souriant. Mon adorable petite Charlotte.

8

Que les meilleurs gagnent!

Après leur rencontre avec grand-papa Crevier, M. Beaucage et les membres du Club Abracadabra se hâtent de retourner à l'école. Ils arrivent quinze minutes avant la cloche.

M. Beaucage se précipite à l'intérieur. Jessica, Max, Karl et Selena marchent lentement sur la pelouse en discutant.

— Bon, commence Selena. Si Fred Patate… heu, Fred Fredette n'a pas saboté les manèges pendant la corvée de nettoyage, et si ce n'est pas Charlotte non plus, il ne reste plus qu'un suspect.

— Le maire Kosta, dit Karl en hochant la tête. Mais comment *prouver* qu'il est coupable?

— Je n'arrive pas à le croire, dit Jessica. Il a l'air tellement gentil.

Érica Landry, la plus snob des élèves de quatrième année, passe en coup de vent.

— Salut! lance-t-elle. J'ai entendu la mauvaise nouvelle au sujet de votre club. Désolée!

— Attends! Quelle mauvaise nouvelle? demande Selena.

— Que votre club n'existe plus, lance Érica par-dessus son épaule. Colin l'a dit à tout le monde. C'est dommage! Vive le Club Alakazam!

— Oh! s'exclame Jessica. Il a dit ça, hein?

Elle regarde de l'autre côté de la pelouse. Les membres du Club Alakazam s'installent pour donner un spectacle. Un groupe d'élèves les entoure. Colin agite l'énorme tige de métal qui lui servait de baguette à la corvée de nettoyage. André est à quatre pattes devant lui, une boule de cristal sur le dos.

— Approchez! crie Colin. La boule de vérité va prédire votre avenir en échange d'une pièce d'or magique du Club Alakazam! Une année de votre avenir pour chaque pièce d'or!

— Faisons un spectacle, nous aussi, dit Max à Jessica en sortant une longue corde de sa cape.

— Attends une minute, dit Jessica.

Noé traverse la pelouse en courant, une pièce de métal dorée à la main.

— J'en ai une! crie-t-il, tout excité.

Jessica lui enlève prestement la pièce et la garde dans sa main gauche.

— Merci, lui dit-elle. Maintenant, regarde-moi bien.

Elle se fraie un chemin parmi le groupe d'élèves et va se planter devant Colin.

— Dis-moi l'avenir, demande-t-elle. Et moi, je vais te dire que le Club Alakazam est chose du passé!

— Heu... je pense que l'école va commencer, dit André, toujours à quatre pattes sur le sol.

— Reste là! lui dit Colin avant de se tourner vers Jessica. D'accord, je vais prédire ton avenir. Mais tu dois me donner une pièce magique.

Jessica lui tend la pièce, qui brille dans le soleil matinal. On peut lire aisément les mots gravés dessus :

Jessica ramène la pièce vers elle et l'examine de plus près.

— Colin, quand as-tu fait faire ces pièces? demande-t-elle.

— Donne-moi ça! dit Colin d'un ton

impatient. Ou alors, cède ta place à
quelqu'un d'autre.

Jessica réfléchit rapidement. Elle a
une idée, mais elle n'est pas sûre si ça va
fonctionner. Elle transfère la pièce de sa main
gauche à sa main droite, et ferme le poing.

Colin tend sa main :

— Donne-moi ta pièce.

Jessica ouvre la main : la pièce a disparu.

— Génial! s'exclame un élève.

Quelques autres applaudissent.

— Où l'as-tu mise? insiste Colin.

— Oh! Regarde! s'écrie Jessica. Elle est collée à ta baguette magique!

Colin soulève sa baguette.

— Quoi? Où ça?

— Ici, dit Jessica en prenant la baguette de Colin.

De sa main gauche, elle retire la pièce de métal du bout de la baguette.

Tous les élèves applaudissent.

— Maintenant, pour mon prochain tour, je vais *te* faire disparaître! annonce-t-elle en agitant la baguette de Colin.

Ce dernier sourit :

— Ha, ha! Ça n'a pas marché!

Jessica examine soigneusement la baguette.

— Tu as raison. Hum! Probablement parce que ce n'est pas une vraie baguette magique.

Elle regarde autour d'elle et aperçoit Charlotte Crevier.

— Charlotte, est-ce que tu reconnais cette tige de métal?

Charlotte s'approche :

— Oui. C'est celle que mon grand-père utilise pour fermer le coffret de branchement de la grande roue, au parc.

— Donc, si quelqu'un l'a enlevée de là, ça veut dire que n'importe qui pouvait ouvrir le coffret et mettre la grande roue en marche?

André se lève d'un bond. La boule de vérité roule sur le sol.

— Bon, j'y vais. J'ai mal aux genoux.

— Pas si vite, lui dit Jessica en l'attrapant par la ceinture. André, est-ce que tu as pris cette tige de métal au Parc Crevier?

— Je voulais seulement voir ce qu'il y avait dans la boîte, dit André, dont le visage est devenu tout rouge.

Jessica se tourne vers le groupe d'élèves et leur montre le jeton de métal :

— Qui peut me dire d'où vient ce jeton?

— C'est facile, répond Érica Landry. De la machine à monnaie du Parc Crevier.

— Une machine qui est brisée depuis des mois, dit Jessica. Le seul moment où il a été possible de fabriquer cette pièce, c'était *pendant* la corvée de nettoyage. Et c'est alors que la machine s'est mise à recracher des pièces!

— Ce n'est pas de *ma* faute, lâche Benoît Mondor. Je lui ai juste donné un petit coup de pied!

Au milieu des exclamations d'étonnement des élèves, Jessica demande à Max :

— Max, peux-tu me donner ta corde, s'il te plaît?

Max sort la corde de son sac à dos. Elle mesure près de 2 mètres. Il la remet à Jessica.

— Je voulais faire un tour avec un lasso, dit cette dernière, mais j'ai changé d'idée. C'est trop dangereux. Parfois, quand on lance le lasso, il reste coincé. Comme la fois où Colin a fait son tour au Parc Crevier. La corde s'est coincée dans un levier de métal, celui qui ouvre le tuyau de drainage des tours de bateau. C'est ça qui a provoqué l'inondation!

— Mais… mais je… balbutie Colin.

— On ne veut pas que ça se reproduise, dit Jessica. Alors, je ne prendrai pas de risques et je vais couper la corde en quatre.

Elle tire une paire de ciseaux de son sac à dos et coupe la corde en quatre sections. Chacune mesure environ 45 cm. Elle en prend une pour attacher les poignets de Max ensemble. Avec une autre, elle attache les poignets de Karl, en s'assurant que la corde de Karl passe dans celle de Max, de façon à ce qu'ils soient attachés l'un à l'autre.

— Voici la règle : interdit de défaire les nœuds, annonce-t-elle. Pensez-vous pouvoir vous séparer, Max et Karl?

Les deux garçons commencent à se tordre et se tortiller d'un côté et de l'autre.

— Jessica, qu'est-ce que tu nous as fait? demande Karl.

— Hum! fait-elle. C'est difficile, même pour les membres du Club Abracadabra! Je me demande si le Club Alakazam…

— Pas de problème! dit André en tendant ses bras.

— Facile à dire, grommelle Colin.

— Je propose un concours, dit Jessica en attachant un troisième bout de corde aux poignets d'André. Le Club Abracadabra contre le Club Alakazam. L'équipe qui réussit à se séparer la première sera le meilleur club de magie de Rébus!

Elle prend le dernier bout de corde et le passe dans la corde d'André. Puis elle l'attache aux poignets de Colin.

— Que les meilleurs gagnent!

— Un… deux… trois! s'écrient Max et Karl en même temps.

Ils se séparent d'un seul coup, même s'ils ont chacun les poignets encore attachés!

— On va à l'école? demande Karl.

— On va à l'école! répond Max.

— LE CLUB ABRACADABRA EST LE NUMÉRO UN! crie Jessica.

— YÉÉÉÉÉ! crie la foule.

DRRRRRING! sonne la cloche de l'école.

Tous les élèves se dirigent vers la porte en riant et en discutant. Tous, sauf Colin et André. Ils ne rient pas du tout.

— Bravo, Jessica! dit Selena.

— Tu es géniale! renchérit Max.

— Bon, eh bien... dit Karl en remontant ses lunettes. J'étais, moi aussi, sur le point de résoudre le mystère...

— Heu, Jessica? dit Colin, qui traîne André derrière lui. Peux-tu nous prêter tes ciseaux?

9
Festin de frites

— Bienvenue! Entrez! crie grand-papa Crevier. Les membres du Club Abracadabra ont droit à un lait frappé gratuit aujourd'hui!

— J'en prendrais bien un au chocolat, dit Max.

— Hé! Tout a l'air neuf! lance Noé en observant le bâtiment du carrousel.

Celui-ci brille de propreté et les appareils ont tous l'air de fonctionner.

— Tout a été repeint, dit grand-papa

Crevier. Même Tibère a reçu une nouvelle couche!

— Les chevaux ne portent pas de couches, voyons, dit Noé. Ils portent des selles!

M. Beaucage arrive à son tour au casse-croûte du Parc Crevier.

— Il y a beaucoup de monde, aujourd'hui! dit-il.

— Je l'espère bien, dit grand-papa Crevier en apportant un plateau de boissons à la table. Le parc a passé l'inspection avec succès, ce matin!

— Youpi! s'écrie Jessica.

— Félicitations! ajoute M. Beaucage.

Selena se lève et déclare, en levant son verre de jus d'oranges :

— Trinquons pour fêter ça!

— Grand-papa Crevier, avez-vous toujours mon jus préféré? demande Karl.

— Qu'est-ce que tu crois? Je connais mes clients! dit grand-papa Crevier en sortant une bouteille de jus de pruneaux du réfrigérateur.

— Pourquoi me regardez-vous comme ça? demande Karl à Selena et Jessica. J'aime le goût des pruneaux, c'est tout!

Jessica ne comprend vraiment pas Karl. Mais tant pis. Aujourd'hui, c'est la grande réouverture du Parc Crevier. Trois semaines se sont écoulées depuis la corvée de nettoyage. La grande roue tourne de nouveau. L'attraction des bateaux est équipée d'un système de drainage informatisé. La machine à frapper la monnaie est réparée. Le casse-croûte comprend un nouveau comptoir Frito-Fred.

Et le plus important, c'est que les affaires ont repris au Parc Crevier, qui a passé son inspection haut la main!

Jessica, Max, Karl, Selena et Noé lèvent leurs verres.

— Dépêchez-vous, dit Jessica. Notre spectacle commence dans cinq minutes.

Max vide son verre d'un trait et se hâte vers le comptoir Frito-Fred. C'est Fred Fredette lui-même qui sert aujourd'hui, déguisé en Fred Patate.

— Un Festin de frites fabuleuses, s'il vous plaît, demande Max. Je sais qui vous êtes, ajoute-t-il en baissant la voix.

Fred Patate lui sert ses frites. Puis il appuie sur son long nez en forme de frite. De l'eau gicle de la fleur épinglée à son veston, éclaboussant Max au visage.

M. Beaucage éclate de rire :

— Les clowns sont comme les magiciens. Ils ne grandissent jamais!

Max revient à la table en s'essuyant la figure.

— Je me fais toujours prendre, dit-il.

Karl consulte son Registre des mystères, l'air perplexe.

— Jessica, je ne comprends toujours pas comment tu as résolu le mystère, dit-il.

— Ce sont les pièces de métal de Colin qui

m'ont mis la puce à l'oreille, explique-t-elle. Je savais qu'il en avait beaucoup. Ça voulait dire que quelqu'un utilisait la machine à monnaie pour fabriquer ces pièces au moment où elle s'est brisée. Une fois que j'ai compris ça, les autres morceaux du casse-tête se sont mis en place. Comme le lasso, qui s'était coincé dans le levier de drainage. Et la baguette magique... ou plutôt, la tige de métal de la grande roue.

— J'aurais dû le savoir, dit Selena. J'ai accroché notre bannière sur cette tige quand elle était encore fixée au coffret de branchement!

— Pourquoi les membres du Club Alakazam n'ont-ils pas dit la vérité? demande Karl.

— Ils avaient peur de se faire punir, dit Selena.

— Ils avaient tout à fait raison, intervient M. Beaucage. M. Mercier ne leur permet plus de tenir leurs réunions à l'école.

— Et ils doivent tous rédiger une composition sur le thème de l'honnêteté, ajoute Karl.

— Bon, assez discuté, dit Jessica en vidant rapidement son lait frappé. Êtes-vous prêts?

— OUI! répondent Karl, Max et Selena à l'unisson.

Ils se lèvent et se dirigent vers le nouvel amphithéâtre. Une foule imposante les y attend.

Charlotte Crevier prend le micro.

— Merci d'être venus en si grand nombre à la réouverture du Parc Crevier! dit-elle. Et maintenant, le moment que vous attendiez tous : voici le Club Abracadabra!

Les spectateurs poussent des acclamations. Charlotte sourit.

— Charlotte, c'est incroyable comme tu as changé, chuchote Jessica en nouant les cordons de sa cape.

— Je croyais que tu détestais le parc, dit Max.

Charlotte hausse les épaules.

— Je le déteste toujours, répond-elle.
D'une certaine manière. Mais maintenant
que les choses vont mieux, grand-papa peut
embaucher un assistant. Comme ça, je ne
suis pas obligée de venir travailler les fins
de semaine. C'est ma dernière journée.

Les membres du Club Abracadabra
s'avancent et saluent l'assistance. Jessica
regarde les spectateurs.

Dans la première rangée, elle aperçoit
Colin et André.

Ils prennent des notes…

Les dossiers Abracadabra
par Karl Normand

Tour de magie n° 22
La pièce de monnaie

Matériel :
Une pièce de monnaie
Un coude

La méthode de Jessica :

1. Lorsque Colin lui a donné une pièce de vingt-cinq cents, elle l'a prise avec sa main droite. Puis elle a commencé à frotter la pièce sur son avant-bras, au-dessus du coude. <u>Détail important pour la première partie du tour</u> : elle l'a frottée avec sa paume tournée vers elle, de manière à ce que personne ne puisse voir la pièce (voir fig. a).

2. Ensuite, la pièce est tombée sur le sol (fig. b). Tout le monde a pensé que Jessica l'avait échappée. Mais elle l'avait fait exprès. Elle a ramassé la pièce avec sa main gauche (fig. c). <u>Détail important pour la deuxième partie du tour</u> : elle a continué de parler tout en faisant mine de transférer la pièce dans sa main droite (fig. d). Comme les spectateurs étaient

distraits par ce qu'elle disait, ils n'ont pas remarqué qu'en réalité, elle avait <u>gardé</u> la pièce dans sa main gauche!

3. Quand elle a de nouveau frotté la « pièce » sur son coude, la paume tournée vers elle (fig. e), en fait, elle ne frottait rien du tout (fig. f).

4. Pendant ce temps, son bras gauche était plié vers le haut. Elle pouvait donc tout simplement laisser tomber la pièce dans l'encolure de son chandail!

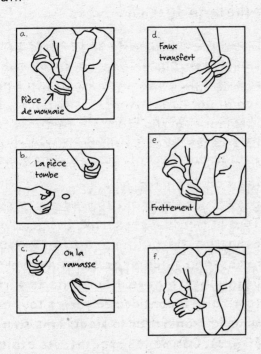

Les dossiers Abracadabra
par Karl Normand
Tour de magie n° 23
Le nœud

Matériel :
Une corde d'environ 1 m ou 1,5 m
Une paire de ciseaux

La méthode de Jessica :

1.   Elle a pris l'extrémité de la corde et y a fait
     un nœud plat au centre, en faisant une boucle
     comme dans l'illustration ci-contre (fig. a-d).

2.   Puis elle a coupé la boucle avec les ciseaux
     (fig. e-f). Cela a produit un nœud qu'on peut
     défaire facilement en le faisant glisser.

3.   Elle a tenu la corde par les deux bouts,
     pour montrer qu'il y avait vraiment un
     nœud au centre. Puis elle a enroulé la
     corde autour de sa main gauche (fig. g).
     Avec sa main droite, elle a enlevé le
     nœud (fig. h).

4.   Quand elle a déroulé la corde, le nœud avait
     disparu (fig. i)!

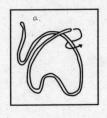

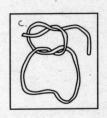

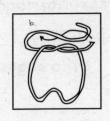

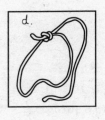

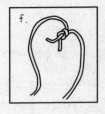

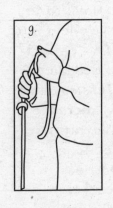

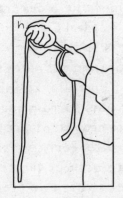

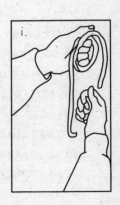

Les dossiers Abracadabra
par Karl Normand

Tour de magie n° 24
La pièce et la baguette

Matériel :
Une pièce de monnaie
Une baguette magique (ou tout autre objet ou personne)

La méthode de Jessica :

1. Le tour a commencé quand Jessica a pris la pièce dans sa main gauche. Elle l'a regardée attentivement, puis l'a transférée dans sa main droite. Mais quand elle a ouvert sa main droite, la pièce avait disparu! C'est parce qu'elle a fait un tour appelé « le tourniquet ». On s'en sert pour faire apparaître des pièces de monnaie à toutes sortes d'endroits. En fait, Jessica avait gardé la pièce dans sa main gauche, alors que les spectateurs croyaient qu'elle l'avait prise dans sa main droite. Pour réaliser ce tour, Jessica devait s'assurer que ses paumes étaient tournées vers elle (pour cacher la pièce). Au lieu de saisir la pièce, elle a refermé ses doigts sur le vide. La pièce <u>est</u>

restée dans les doigts repliés de sa main
gauche. Mais comme sa paume était tournée
vers elle, l'assistance n'y a vu que du feu!

2. Jessica a ouvert sa main droite : la pièce avait
disparu! Elle a alors tendu la main gauche (qui
contenait la pièce) vers le bout de la baguette,
donnant l'impression qu'elle prenait la pièce à
l'extrémité de la baguette!

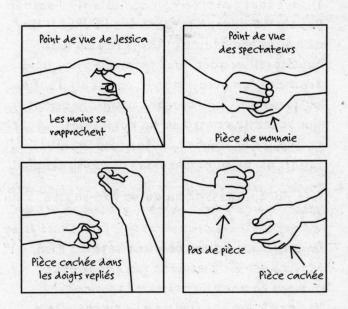

Point de vue de Jessica

Les mains se rapprochent

Point de vue des spectateurs

Pièce de monnaie

Pièce cachée dans les doigts repliés

Pas de pièce

Pièce cachée

Les dossiers Abracadabra
par Karl Normand

Tour de magie n° 25
Les poings liés

Matériel :
Deux bouts de corde (d'environ 45 cm chacun)

Notre méthode :

1.   Il faut tout d'abord avoir des talents d'acteur
     (et s'être exercé pendant des HEURES)! Max
     et moi avons seulement fait semblant de
     nous tortiller pour nous défaire de nos liens.
     Vraiment, on aurait mérité un oscar! Tout en
     me tordant et en poussant des grognements,
     j'ai glissé le centre de ma corde dans la boucle
     entourant le poignet de Max (fig. a-b). Il
     fallait absolument que Max reste immobile!

2.   Puis j'ai fait passer ma corde par-dessus la main
     de Max (fig. c-d).

3.   On a tiré, et voilà : on était séparés (fig. e)!

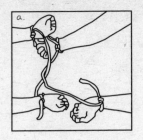

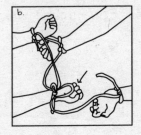

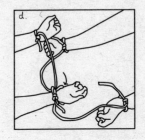

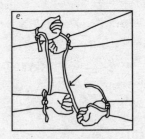

L'auteur

Peter Lerangis est l'auteur de nombreux
livres pour tous les âges, dont une collection
de livres de science-fiction et d'aventure, et
des romans humoristiques pour les jeunes
lecteurs. Ses plus récentes adaptations
cinématographiques comprennent *Le sixième
sens* et *La route d'El Dorado*.

Il vit à New York avec sa femme, Tina de
Varon, et leurs deux fils, Nick et Joe.